Ève Je-Rêve

« Allez, les filles, à la barre », dit Mlle
Pirouette, le professeur de danse.
« On ramène les pieds en première position
et on se baisse en étirant. Doucement. »
« Ève ! Fais attention ! Tu ne seras jamais une
ballerine si tu n'écoutes pas ce qu'on te dit ! »
« Désolée, mademoiselle », dit Ève qui a,
comme d'habitude, la tête dans les nuages.

La danse classique est ce qu'Ève préfère au monde. Elle adore aller à l'Opéra regarder les étoiles danser, surtout sa préférée, Grâce Pas-Chassé :
Ève s'imagine déjà, flottant gracieusement sur scène, devant un public bouche bée.
« Ève ? » La voix de Mlle Pirouette interrompt sa rêverie. « Es-tu avec nous aujourd'hui, ou doit-on continuer sans toi ? »

Mlle Pirouette trouve les rêveries d'Ève
parfois un peu casse-pieds, surtout en cours.
La danse classique demande de la discipline
et une concentration de chaque instant.
Toutefois, Mlle Pirouette sait que si Ève
s'applique et travaille dur, un jour, c'est sûr,
elle pourra devenir danseuse étoile.

Autrefois, Mlle Pirouette était danseuse.
Elle se produisait avec le grand, le beau,
le fort Alexi Nablinski.
Mais un jour, oh, malheur ! Au cours d'une
représentation, Mlle Pirouette était tellement
distraite qu'au moment de s'élancer dans les
bras d'Alexi, elle glissa et, patatras ! Elle se
blessa. C'en était fini de ses rêves d'Opéra !

Alexi dut trouver une autre partenaire et
Mlle Pirouette fut obligée de quitter l'Opéra.
Se souvenant qu'elle-même autrefois rêvait
bien souvent, Mlle Pirouette réalise qu'elle
traite peut-être Ève un peu sévèrement.
« Les filles, annonce-t-elle, notre prochain
spectacle sera *Le Lac des Cygnes*. »
Des cris de joie éclatent de toutes parts.

« Qui sera Odette, la princesse-cygne ? »,
demande Ève vivement.

Mlle Pirouette pense que c'est l'occasion
rêvée pour permettre à Ève de briller.

« J'ai décidé, annonce-t-elle, que ce serait Ève ! »
Ève saute de joie. Elle est tellement excitée
qu'elle n'arrive plus à parler.

Enfin, elle demande : « Et qui sera le prince ? »
« Ce sera bien évidemment Gaston, puisque
c'est le seul garçon. »

Les répétitions commencent la semaine suivante et Mlle Pirouette est plus exigeante que jamais.

C'est la première fois qu'Ève danse avec un partenaire et Mlle Pirouette les fait répéter encore et encore.

« Maintenant, il faut te concentrer, Ève », lui rappelle Mlle Pirouette.

Mais, alors qu'elle est en train de répéter avec Gaston, Ève se retrouve à nouveau plongée dans une de ses rêveries.
Elle est sur scène. L'orchestre commence à jouer son morceau préféré et Ève fait son entrée. Virevoltant avec grâce, elle est maintenant danseuse étoile.
Soudain, au beau milieu de la pirouette finale, elle manque un temps et s'étale de tout son long...
Les lumières s'éteignent.

« Ève, Ève, ça va ? » s'inquiète Mlle Pirouette.
« Que s'est-il passé, demande Ève, toute
étourdie. Ma jambe me fait mal. »
« Tu te débrouillais très bien, mais tu as dû te
laisser entraîner par la musique et tu n'as plus
écouté ce que je te disais, lui explique Mlle
Pirouette. C'est alors que tu es tombée. »
« C'est grave ? » demande Ève, inquiète.
« Je ne pense pas, la rassure Mlle Pirouette.
Mais tu dois laisser ta jambe se reposer
un jour ou deux. »

Le lendemain, Ève, blessée, vient quand même assister aux répétitions. Elle a mis son tutu rose, son cache-cœur et ses chaussons. Quand elle arrive, on ne voit qu'elle, évidemment : elle est toute pimpante et les autres sont habillées n'importe comment ! Ève s'assoit avec grâce sur une chaise. Puis pendant la répétition, elle regarde tout le monde travailler avec beaucoup d'attention.

C'est le soir de la première et Ève est enfin remise. Alors que l'orchestre commence à jouer son morceau, elle s'élance sur scène. Mlle Pirouette regarde nerveusement quand, arrive le clou du spectacle. Gaston est en position. Ève est en rythme avec la musique. Dans un bouquet final à couper le souffle, ils exécutent un pas de deux magistral.
Sous un tonnerre d'applaudissements, Ève sait que ses rêves sont enfin devenus réalité !

Marion Grognon

Quelle grognon, cette Marion !
Elle boude pour un oui, pour un non.
Quand Marion veut quelque chose,
elle le veut pour de bon. Et si elle ne l'a pas,
ça la rend grognon.

Marion Grognon veut un chien.
Oui ! elle veut un chien dès demain !
Elle demande à sa maman de lui en
acheter un. Sa maman répond : « Non. »
« C'est pas juste ! », hurle Marion.
« J'ai jamais ce que je veux ! »

Et elle se met à bouder.

Marion boude jusqu'au goûter.
Et puis jusqu'au dîner. Au coucher,
Marion continue de bouder.
Cette fois, ses parents sont inquiets.
Quand va-t-elle s'arrêter ?
« Appelons le docteur ! », décide son papa.

Le docteur examine le nez, les oreilles,
la gorge, les dents, le cœur et les poumons
de Marion.
« Fais AAHH ! », dit-il. Mais Marion Grognon
continue de bouder.
« C'est le plus beau cas de boudin que
j'aie jamais vu ! », dit le docteur. « Il faut
la distraire. Je ne vois rien d'autre à faire. »

Facile à dire !

« J'ai une idée ! Chatouillons-lui les pieds ! »,
dit le papa de Marion.
Il chatouille, et chatouille, et rechatouille…
Mais le seul résultat, c'est qu'il a mal au bras !

Marion continue de bouder.

« Racontons-lui des blagues ! »,
dit la maman de Marion.
Elle raconte l'histoire de la casquette de Toto,
et celle du Chinois qui plonge dans la
mer Rouge, et celle de la puce qui s'achète
un chien... Rien !

Marion continue de bouder.

Les parents de Marion se déguisent
en magiciens. Leurs tours sont très bons…
Mais non !

Marion continue de bouder.

Ils fabriquent des marionnettes
et les font danser. Ils ont l'air
de bien s'amuser ! Mais…

Marion continue de bouder.

Ils s'habillent en clowns et se versent
des pots de peinture sur la figure.
C'est à se tordre de rire ! Mais le pire,
c'est que…

Marion continue de bouder.

« J'abandonne ! », dit la maman de Marion.
« Tout cela ne mène à rien. Achetons-lui
un chien ! »
« Je sais quel genre de chien lui ira bien ! »,
dit le papa de Marion.
Et il va en choisir un au magasin.

Son papa avait raison : le chien de Marion
lui va vraiment très bien. Depuis qu'il est
à la maison, Marion n'est plus jamais grognon.
Elle n'a plus le temps ! Elle est trop occupée
à essayer de l'amuser.

Car jamais on n'avait vu un chien
faire autant de boudin !

Anémone J'ordonne

Anémone, c'est mademoiselle J'ordonne !
Elle croit qu'elle sait tout mieux
que personne.
Elle commande son frère, son chien,
et même les voisins.
« Fais ci ! Fais ça ! Viens ici ! Mets-toi là ! »

Oh ! la ! la ! Anémone, tu nous assommes !

« Regardons cette émission ! » décide
Anémone.
Et, hop ! elle change de chaîne.
« Tu n'as demandé l'avis de personne ! »
protestent son frère et ses parents.
« On regarde ce que j'aime. C'est évident ! »

Car Anémone croit qu'elle commande
à la maison.

Elle fait même sa "commandeuse" à l'école.
« Ma parole ! dit-elle au maître, vous ne savez
pas écrire lisiblement au tableau !
C'est du beau !
Recommencez immédiatement ! »

Avoir Anémone dans sa classe,
c'est bien embêtant !

Quand la classe est terminée,
Anémone organise tout.
« Je ramasse les cahiers ! Toi, Marie-Lou,
tu essuies le tableau ! Comme il faut,
s'il te plaît ! Hugo, tu balaies le plancher !
Sébastien, tu prépares les tables
pour demain ! Et plus vite que ça ! »

Personne ne fait ce qu'elle ordonne.
Mais elle ne s'en aperçoit pas :
elle est trop occupée à commander !

La famille part en pique-nique.
« Ne roule pas trop vite ! » ordonne
Anémone à son papa. « Et regarde devant
toi ! Eh ! Il fallait tourner là ! »
« Mais non, répond Papa, c'est plus loin. »
« Je connais très bien le chemin ! » insiste
Anémone.

N'en doutez pas : elle le connaît mieux que
personne !

Papa est sûr qu'elle s'est trompée,
mais il renonce à discuter.

« Voilà notre pré ! » crie Anémone.
« Prenez le panier et suivez-moi ! »
« On n'est jamais venus là ! » répond
son frère.
« Toi, tais-toi ! Ou tu seras privé
de dessert ! »

Ils sont en train de déjeuner,
quand ils entendent soudain…
MEUH ! MEUH !
« Oh ! crie Maman, regardez ! Un troupeau
de vaches affamées ! »

Quelle aventure !
Ils courent jusqu'à la voiture… Mais elle ne
veut plus démarrer !

Anémone dispute son papa :
« Tu as oublié l'essence ! Je te l'avais dit,
pourtant ! Quelle imprudence ! »

Évidemment, elle a un plan.
« Maman, tu restes là avec le petit.
Moi, je conduis Papa au garage.
Soyez sages ! »
Et les voilà partis.

Papa connaît le chemin. Mais il préfère
la laisser faire : elle verra bien !

Et elle voit !
Ce chemin tellement parfait
conduit tout droit à une mare
qui sent horriblement mauvais !

Anémone J'ordonne en personne doit avouer
qu'elle s'est trompée.

« Nous sommes allés chercher l'essence ! »
crie Maman. « Vous étiez partis
dans la mauvaise direction.
Encore une chance :
vous aviez oublié le bidon ! »

« Plus jamais de la vie, je ne commanderai
personne. Promis ! » dit Anémone.
« Si je vous avais écoutés,
rien de tout cela ne serait arrivé. »

C'est extraordinaire ! Ses parents
et son frère sont si contents
qu'ils rentrent à la maison en chantant…

« Eh ! attention ! » crie Anémone.
« Maman ! tu as manqué le chemin ! »
« Il est plus loin ! » dit Maman.
« Non, c'était là ! Reviens sur tes pas,
je te l'ordonne ! »

Ninon Dit-Non

Ninon Dit-Non a l'esprit de contradiction.
Elle fait tout le contraire de ce qu'on lui dit.
« Il faut ranger ta chambre », dit sa maman.
Ninon répond : « Non ! J'peux pas !
J'veux pas ! J'le f'rai pas ! »
Et n'essayez pas de la faire changer d'avis !

« C'est l'heure de ta leçon de piano »,
dit sa maman.
Ninon répond : « Non ! J'peux pas !
J'veux pas ! J'le f'rai pas ! »
Et n'essayez pas de lui faire jouer
une seule note !

À table, c'est encore pire.
« Mange ces bons légumes pour bien
grandir », dit sa maman.
Ninon répond : « Non ! J'peux pas !
J'veux pas ! J'le f'rai pas ! »
Et n'essayez pas de lui faire avaler
une seule bouchée !

L'après-midi, c'est la même comédie.
« Il faut faire tes devoirs », dit sa maman.
Ninon répond : « Non ! J'peux pas !
J'veux pas ! J'le f'rai pas ! »
Elle va encore être la dernière !
Mais que faire ?

Et que répond Ninon Dit-Non quand
sa maman lui demande de dormir ?
« Non ! J'peux pas ! J'veux pas !
J'le f'rai pas ! »
Quel cinéma !

« Dis bonjour à oncle Arthur », demande
sa maman à Ninon.
Ninon répond : « Non ! J'peux pas !
J'veux pas ! J'le f'rai pas ! »
« Quel esprit de contradiction ! »,
dit sa maman.
« Laisse-moi faire », répond oncle Arthur.

Quand arrive l'heure de sa leçon,
oncle Arthur dit à Ninon : « Pas de piano,
je t'en supplie ! Ça fait trop de bruit ! »
Ninon réfléchit. Puis elle répond :
« Si ! Je peux ! Je veux ! J'vais l'faire ! »
Et elle s'exerce pendant plus d'une heure !

« Ces horribles légumes sont très mauvais
pour ta santé », dit oncle Arthur au déjeuner.
« Il ne faut pas en manger ! »
Ninon répond : « Si ! Je peux !
Je veux ! J'vais l'faire ! »
Et elle ne laisse pas une miette
dans son assiette !

« Pas la peine de faire tes devoirs ! »,
dit oncle Arthur.
Ninon répond : « Si ! Je peux ! Je veux !
J'vais l'faire ! »
Et elle plonge le nez dans son cahier jusqu'à
ce que tous ses devoirs soient faits !

Et que répond Ninon Dit-Non
quand oncle Arthur lui demande
de ne surtout pas dormir ?
« Si ! Je peux ! Je veux ! J'vais l'faire ! »
Et elle éteint la lumière !

Depuis, Ninon n'a plus l'esprit
de contradiction.
Quand on lui demande quelque chose,
elle dit : « Oui ! Je peux ! Je veux !
J'vais l'faire ! »
Et même quand on ne lui demande rien.

Huguette Grosse-Tête

Quelle grosse tête, cette Huguette !
En classe, elle est première en tout.
Evidemment. Elle est sérieuse tout le temps.
Même au hockey, même quand elle joue !
Huguette Grosse-Tête fait tout sérieusement.

Si son papa s'emmêle les pieds et que...
PATATRAS ! Il atterrit sur le tapis,
Huguette se fâche :
« Il n'y a pas de quoi rigoler.
Tu aurais pu te blesser. »
« Ne sois donc pas sérieuse tout le temps »,
disent ses parents.

Quand l'école gagne un match de foot,
dans l'équipe, les enfants sont contents.
« On va faire une grande fête ! »
« Ça n'est pas le moment, répète Huguette.
Il faut perfectionner notre tactique. »
« Arrête, Huguette !
Viens t'amuser avec nous. »
Mais Huguette secoue la tête.
S'amuser, ça ne l'intéresse pas du tout !

À la maison, interdiction de regarder
les dessins animés !
« C'est trop bête, décrète Huguette.
Regardons les informations. »
« S'il-te-plaît ! supplient ses parents.
Les informations tout le temps,
c'est barbant. »
Mais Huguette secoue la tête.
Se barber, elle trouve ça très amusant !

« Viens avec nous sur les manèges »,
disent les amis d'Huguette.
Huguette répond après mûre réflexion :
« D'accord. Ça sera sûrement plein
d'enseignements. »
« En voiture ! », crie Arthur.

Les voilà sur la grande roue.
Oh ! Quelle vue, là-haut !
« Passionnante cette fête, finalement »,
se dit Huguette.
« Si je faisais un deuxième tour ? »

« Monte dans le train fantôme avec nous »,
propose Jean-Loup.
« Non merci, répond Huguette.
Je ne crois pas aux revenants. »
« Ce sont des fantômes pour rire ! »
« Dans ce cas, dit Huguette,
ce sera peut-être intéressant. »

Il y a des squelettes dans tous les coins,
des mains qui grattent, des yeux qui luisent,
des os qui claquent et des bouches qui font…
Bououohhh !
Huguette crie aussi fort que ses amis.
D'un seul coup, s'amuser ne l'ennuie
plus du tout.

« J'adore aller à la fête », s'écrie Huguette.
« Épatant ! dit son papa. Tu vois,
s'amuser n'empêche pas de bien travailler. »
« Ni de jouer au hockey », ajoute sa maman.
« Vraiment ? », demande Huguette.

« Évidemment ! », assurent ses parents.
« Ça, c'est chouette. À partir de maintenant,
je ferai tout ça en même temps. »
« J'en suis ravie, dit sa maman.
Que fais-tu demain après-midi ? »

« Je réfléchis…, répond Huguette.
Je réfléchis très sérieusement.
On ne fait pas la fête n'importe comment ! »

Jumelles Rebelles

Des vraies jumelles, regardez ! Difficile
de les distinguer.
Voici Tina, et voilà Tania. Euh… non.
Voici Tania, et voilà Tina.
Oh, pas moyen de s'y retrouver !
Ces bébés endiablés, leur maman
les a surnommés… les Jumelles Rebelles !

Tina et Tania ont grandi.
Elles se ressemblent toujours autant...
du moins extérieurement.
Parce qu'il y a tout de même une grande
différence :
Tina est adorable, mais Tania est
insupportable. Dès que Tina veut ranger
le fouillis, Tania se déchaîne, une vraie furie.
Puis elle dit : « Moi, je suis Tina ! » et
Maman, qui les confond, ne peut pas donner
de punition.

Tina et Tania ne sont jamais d'accord.
Même si toutes les deux trouvent leur
surnom affreux.
« Ne me traitez pas de rebelle, supplie Tina.
Je ne suis pas comme elle. »
« C'est sûr ! réplique Tania. Bah ! La petite
fille modèle ! »
Et les querelles reprennent de plus belle.

Un jour, Maman leur dit : « Hop !
À bicyclette ! Allez me poster ces lettres ! »
Tania enfourche le vélo de Tina et file sans
demander son reste. Tina s'élance à sa
poursuite.

« Quelle peste ! » En chemin, Tania croise
Sylvette Proprette qui lave la voiture de son
papa. Elle vise une grosse flaque et splash !
elle éclabousse Sylvette et la voiture. « Pouêt,
pouêt ! »

« Oh, non ! hurle Sylvette. Tu te paies ma
tête. Je vais le dire à ta maman. »
Tina voudrait l'aider, mais Sylvette est trop
énervée. « Fichez le camp, Jumelles Rebelles ! »

Arrivée dans le parc, Tania repère Mamie
Dodue qui promène son chien Kiki.
Elle s'approche en catimini… et détache
le toutou. Oh, la chipie !
« Ouaf ! Ouaf ! » aboie Kiki, et il se précipite
derrière un écureuil au milieu des taillis.
« Hi, hi, hi ! » glousse Tania, et ravie, elle
s'enfuit sur la pelouse fleurie.
Le gardien lui crie :
« Tu ne sais pas que c'est interdit ? »
Tina finit par rattraper Kiki ; elle le rend
à Mamie Dodue, furieuse et fourbue.

Tina retrouve Tania au marché : sa sœur s'amuse à slalomer entre les fruits bien disposés.

« Attention ! prévient Tina, tu vas tout faire tomber ! »

Soudain, boum ! c'est la collision. Les fruits dégringolent, les pommes, les poires, les melons… Sur le sol, ça glisse, ça colle. Les gens s'étalent, se désolent.

Tania se relève la première et réussit à s'échapper. Tina, elle, reste pour aider.

Plus tard dans la journée, tous viennent
protester : Sylvette, Mamie Dodue,
le gardien, la postière.
« Une de vos jumelles a fait des tours
pendables ! »
« Mais, demande Maman, laquelle est
coupable ? »
Mystère.

Puis le gardien lance un cri joyeux :
« Je m'en souviens ! Son vélo était bleu. »
Tous confirment, soulagés : la fille au vélo
bleu, c'est elle la mal élevée.
Très étonnée, Maman se tourne vers Tina.
« C'est ton vélo, je ne me trompe pas ? »
« Oui, murmure Tina. Mais Tania me
l'avait volé. »

« Accuser ta sœur, quelle horreur ! »
s'exclament-ils tous en chœur.
Et Maman ordonne :
« Dans ta chambre, vilaine rebelle ! »
« Mais c'est pas juste… », bredouille Tina.
« Pas de discussion, mademoiselle ! »
Pendant que Tina s'en va en pleurs,
tout le monde félicite Tania pour son
bon cœur.

Maman fait un gros bisou à Tania et la prend dans ses bras.

C'est alors qu'elle s'aperçoit d'une chose bizarre.

« Pourquoi ta robe est-elle trempée et toute tachée ? »

« Euh, bredouille Tania, je ne sais pas… »
Et vous, qu'en pensez-vous ?

Bérangère Tête-en-l'Air

« Bérangère ? Tu t'es lavé les dents ? »,
demande maman.

« Zut ! J'ai oublié ! », répond Bérangère.

Ça n'a rien d'étonnant !

Car Bérangère Tête-en-l'Air oublie tout,
tout le temps.

Bérangère part à l'école.

« Tu n'as rien oublié ? », demande sa maman.

Non, presque rien ! Seulement son écharpe,
son bonnet, ses chaussures, son cartable
et ses cahiers !

« As-tu ton mouchoir ? », demande
sa maman. Bérangère fouille dans sa poche...
Victoire ! Elle n'a pas oublié son mouchoir !

Mais qui a fait un nœud à ce mouchoir ?
« C'est sûrement moi », se dit Bérangère.
« Mais pourquoi ? Sûrement pour
ne pas oublier quelque chose. Mais quoi ? »
Ça, Bérangère Tête-en-l'Air aimerait
bien le savoir !

Mais pourquoi ses amis ont-ils apporté
des paquets ? Bérangère a une idée :
« C'est sûrement ce que je ne devais
pas oublier ! On fête un anniversaire
aujourd'hui. Mais l'anniversaire de qui ?
Mystère ! »

Bérangère est très embêtée :
elle n'a rien apporté !

« C'est l'anniversaire de qui ? », demande
Bérangère à Marie-Lou, qui sait toujours tout.
Mais Marie-Lou ne lui répond pas.
« Elle a aussi oublié ÇA ! »,
dit-elle à sa copine Lola.
Bérangère est très vexée : « Pas la peine
de rigoler ! »

Bérangère voit Timothée écrire une carte d'anniversaire. « Si je m'approche assez, je saurai pour qui c'est », se dit-elle.

« Bon anniversaire, B... », lit Bérangère. Mais Timothée l'a remarquée, et aussitôt s'est arrêté.

« C'est sûrement pour quelqu'un dont le nom commence par un B », se dit Bérangère. « Mais qui ? »

Bérangère réfléchit : « Benoît ? Béatrice ?
Bertrand ? Baptiste ? Non ! Dans la classe,
personne ne porte ces noms là ! Benjamin ?
Non ! Si je me souviens bien, on a fêté
son anniversaire la semaine dernière… »

Toute la journée, Bérangère a essayé
de se rappeler. Un peu plus, elle en
oubliait de rentrer !
« Dépêche-toi, je t'attends ! »,
lui dit sa maman. « Nous allons être
en retard pour l'anniversaire ! »
« Tu sais de qui c'est l'anniversaire ? »,
demande Bérangère.
« Évidemment ! », répond sa maman.
Bérangère est rassurée.

« Et maintenant, va te changer !
Mets ta robe de fête ! »

Bérangère est prête. Elle redescend et…
« Bon anniversaire, Bérangère ! »
Tous ses amis sont là.
« Ça y est, je me souviens ! »,
s'écrie Bérangère. « C'est mon anniversaire
à moi ! »
Quelle belle surprise et quelle belle fête !

Bérangère Tête-en-l'Air a pourtant l'impression qu'elle a oublié quelque chose... Mais quoi ?

Clarisse Caprices

Clarisse fait des caprices.
Elle en fait partout. Elle en fait tout le temps.
Pour un oui, pour un non.
Elle n'a même pas besoin de raison !

Quel supplice !

« Donnez-moi des carottes », dit sa maman
au marchand.
Et Clarisse hurle : « Je déteste les carottes ! »
« D'accord ! Donnez-moi du maïs. »
« Je déteste le maïs ! », hurle Clarisse.

« On va prendre l'autobus », dit sa maman.
Et Clarisse hurle : « Je déteste l'autobus ! »
« D'accord ! On va prendre un taxi. »
« Je déteste le taxi ! », hurle Clarisse.

Quand c'est le moment de se laver,
Clarisse se met à hurler : « Je déteste le bain !
Je déteste le shampooing ! »
« Il faut te brosser les dents », dit sa maman.
« Je déteste le dentifrice ! », hurle Clarisse.

Et que dit Clarisse quand il fait nuit ?
« Je déteste aller au lit ! »

Quand elle va chez sa mamy,
c'est la même comédie !
« J'en ai assez de ces caprices ! »,
dit la maman de Clarisse.
Clarisse n'entend pas ce que répond Mamy.
Car Mamy le dit à l'oreille de Maman.

En rentrant, Clarisse et sa maman passent
devant le marchand.
« Ce soir, ni carottes ni maïs ! », dit Maman.
« Qu'est-ce qu'on va manger ? »,
demande Clarisse.
« On ne mange pas !
Je sais que tu détestes ça. »

Quelle surprise !
Clarisse en oublie de faire un caprice !

Voilà le bus qui passe.
« On l'a loupé ! », dit Clarisse.
« On ne le prend pas ! », répond sa maman.
« Je sais que tu détestes ça.
On va rentrer à pied. »
Clarisse se demande si elle doit
faire un caprice.

Au bout d'un moment, elle est très fatiguée.
« Je déteste marcher ! », hurle-t-elle.
« Je veux prendre le bus ! »

L'heure du dîner est passée.
Mais la maman de Clarisse ne l'a pas appelée !
« Je veux manger ! J'ai faim ! », hurle Clarisse.
« Bon », répond sa maman.
« Mais à une condition : plus de caprices
à table ! »
Clarisse hésite.
Mais elle a trop faim !
« D'accord, je veux bien. »

« Tu ne fais pas couler mon bain ? »,
demande Clarisse.
« Je ne te baigne pas », répond sa maman.
« Je sais que tu détestes ça. »
« Je veux mon bain ! », hurle Clarisse.
« À une condition : tu arrêtes de pleurer. »
« Seulement si tu me fais un shampooing ! »,
dit Clarisse. « Mais, d'abord, passe-moi
le dentifrice ! »

Clarisse a mis son pyjama.
« Ce soir, tu ne vas pas au lit », dit Papa.
« Tu restes ici. »
Clarisse s'assoit devant la télé.
Elle ne fait pas de caprice. On ne sait jamais !
Et si Papa changeait d'idée ?

Au bout d'un moment, elle est très fatiguée.
« S'il te plaît, Maman, je peux aller
me coucher ? », demande-t-elle poliment.
« Laisse-moi réfléchir », répond sa maman.
« Je t'en prie, laisse-moi aller au lit ! »,
dit Clarisse.
« Ou alors... je fais un caprice ! »

Lola Blabla

Et patati ! Et patata !
Pour cacher ses bêtises, Lola Blabla
dit n'importe quoi !

« Qu'est-ce que c'est que ce sucre
renversé ? », demande sa maman.
« Va plutôt voir là-bas », répond Lola.
« Papa est en train de brûler ton joli
chemisier ! »

Lola ! Ça n'est pas beau de rapporter !

« À qui est cette grenouille ? », demande
sa maman. « J'ai dit : pas d'animaux
à la maison ! »
« Va plutôt voir chez les garçons ! »,
répond Lola. « Ils ont rapporté d'énormes
araignées ! »

À l'école, Lola sait tout.
Elle sait que Mathieu copie sur Ninon.
Que Marion mange des bonbons.
Et qu'Hervé a apporté sa grenouille préférée.

Ça peut toujours servir !

Lola ne travaille pas très bien. Sauf en dessin.
Elle a fait une peinture extraordinaire.
Encore plus belle que celle de Bérangère !

Le jour de la distribution des prix,
tous les enfants sont réunis.
« Avant de commencer, j'ai des questions
à vous poser », dit la maîtresse.
« Mathieu ! Est-ce que tu ne copies pas
toujours tes devoirs, par hasard ? »
« Euh… », répond Mathieu.
Lola lève le doigt. « Il copie tout
sur Ninon ! », dit-elle.

« Quelqu'un ici mange des bonbons ! »,
dit la maîtresse. « J'ai trouvé des tonnes
de papiers ! Qui veut se dénoncer ? »
Lola lève le doigt. « C'est Marion ! », dit-elle.
« Et à qui appartient ÇA ? », demande
la maîtresse.
Hervé est bien embêté : sa grenouille
s'est échappée. Pourvu que Lola
ne lève pas le doigt !
Mais si !

« Dernière question », dit la maîtresse.
« Qui a fait ce dessin ? »
C'est la peinture de Lola. Elle ne comprend
pas pourquoi la maîtresse la montre
comme ça.
Et si cette peinture n'était pas si
extraordinaire ? La maîtresse a l'air
en colère !
« Alors ? », insiste-t-elle.

« C'est Bérangère ! », hurle Lola.
« C'est toi qui a fait ça ? », demande
la maîtresse.
« Euh… », répond Bérangère.
Juste à ce moment-là, on entend la sonnerie :
c'est l'heure de la distribution des prix.

La maîtresse a dit à Bérangère de rester
debout en tenant son dessin,
pour que tout le monde le voie bien.
« Je n'aimerais pas être à sa place ! »,
se dit Lola.
« Bérangère ! », appelle la maîtresse.
« Ta peinture est extraordinaire. Tu as gagné
le Grand Prix. »
Tout le monde applaudit.
Et Bérangère reçoit une grosse boîte
de chocolats.

« J'espère que ça te servira de leçon ! »,
dit Bérangère à Lola en lui offrant
un chocolat.
« Oh, oui ! Merci ! », répond Lola.
« Mais regarde ! Il ne reste plus de chocolats
au lait ! C'est sûrement Armand
qui les a mangés ! »

Clémence Malchance

Attention ! Voilà Clémence !
Garez-vous !
Elle bouscule tout !
Elle est comme ça, Clémence.
Elle n'a pas de chance.
On dirait que les objets se glissent
exprès sous ses pieds !
Et BADABOUM ! La voilà par terre,
Clémence !

« Allons, Clémence ! Un peu de prudence !
lui répètent ses parents.
Regarde où tu mets les pieds.
Fais attention… »
Clémence prend de bonnes résolutions.
Elle ne quittera pas ses pieds des yeux.
Et s'ils ne marchent pas droit, gare à eux !

Mais ses pieds n'en font qu'à leur tête !
Ils se prennent dans la raquette,
s'emmêlent et la font tomber.
« Je n'y arriverai jamais », pense Clémence.

Elle a soudain une idée…

Puisqu'elle ne peut pas commander à ses
pieds, elle va ranger les objets qui l'embêtent.
Elle commence par la raquette.
Et puis ces vilains patins,
qui se mettent tout le temps sur son chemin.
Il n'y a plus beaucoup de place
dans le débarras.
Mais en tassant bien, elle y arrivera !

Elle entre dans le salon et…
Ouf ! Clémence a sauvé à temps le vase
préféré de Maman.

C'est cette table, la coupable !
Qu'est-ce qu'elle fait là, celle-là ?
Allez ! HOP ! au débarras !

Puisqu'elle a commencé,
elle range aussi le tabouret.
« Comme ça, je suis tranquille. »

La prudence, après tout,
ce n'est pas si difficile.

Clémence ! Regarde devant toi !

Pour une fois, Clémence a de la chance !
Elle a vu le rateau à temps.
« Tu ne devrais pas traîner dans
le jardin, toi ! Allez ! HOP ! au débarras ! »

Toute la journée, Clémence range.
La théière, l'aspirateur, le tuyau d'arrosage…
Allez ! HOP ! au débarras !
Tant pis pour les farceurs !
Ils n'avaient qu'à être sages.

À la fin de la journée, il ne reste plus d'objets pour l'embêter.

« Clémence, où est la théière ? »,
crie Maman.
« Elle n'est pas cassée. Je te l'apporte immédiatement. »
« Clémence, as-tu vu l'aspirateur ? »,
demande Papa.
« Il n'y a pas de dégâts ! Je vais te le chercher. »

Clémence sort de son bain avec prudence.
Elle entend la voix de Papa, dans sa chambre,
là-bas.
« Mais où est donc passée la table
du salon ? »
« Papa ! Attention ! »

Trop tard !
Papa a ouvert la porte du débarras.

Maman n'en revient pas.
« C'est toi qui as fait ça ? s'écrie-t-elle.
Quel maladroit ! »
« C'est un défaut de famille, dit Clémence.
Mais ne t'inquiète pas,
je vais t'aider à tout ranger. »

Et BADABOUM !
Clémence glisse et se retrouve par terre.

Direction éditoriale : Christophe Savouré
Édition : Marion de Rouvray
Traduction : Dominique Foufelle, Jacqueline Odin (Jumelles Rebelles),
Delinda Ellouzi-Jacobs (Ève Je-Rêve)
Mise en page : Julia Moisand
Fabrication : Annie-Laurie Clément
Photogravure : Digi France
Impression : Matteu Cromo - Espagne

Loi n°49-956 du 16 juillet 1949 sur les publications destinées à la jeunesse
Dépôt légal : octobre 2007 (Canada)-janvier 2008 (France)
Achevé d'imprimer : septembre 2007
N° d'édition : M07127

www.editions-mango.com